DAVID ROB

YSGRIFENNWYD GAN AMANDA LI AC A

D0298991

ADDASWYD GAN GWENNO MAIR DAVIES

Tudur Budr

Fy Llyfr Stwnsh

Gomer

Cofiwch fod *ch*, *dd*, *ff*, *ng*, *ll*, *ph*, *rh* a *th* yn cael eu cyfrif fel un llythyren yn y posau.

Dwi wrth fy modd yn gwneud posau, yn cwblhau drysfeydd a lluniau dot-i-ddot, ond fedra i byth ffeindio rhai sy'n sôn am y pethau rydw i'n eu hoffi. Felly, fe ges i'r syniad penigamp o greu fy llyfr fy hun – yn sôn amdana i! Dwi wedi treulio oriau yn fy llofft (ac wedi defnyddio pinnau ffelt a phapur Siwsi i gyd!) yn creu'r gweithgareddau anhygoel o afiach yma – sy'n cynnwys fy hoff bethau fel Chwiffiwr, Sbwriel, bomiau dom, baw trwyn a thorri gwynt, yn ogystal ag ambell beth dwi ddim yn ei hoffi fel bath, cwrteisi a Dyfan-Gwybod-y-Cyfan ...

Felly, dyma fo – fy llyfr gweithgareddau fy hun. Gobeithio y cei di gymaint o hwyl yn ei gwblhau ag y cefais i yn ei greu!

Dy ffrind,

Tudur Budr

ON Os byddi di'n crafu dy ben yn aml wrth weithio ar y llyfr yma, y rheswm dros hynny ydi oherwydd bod rhai o'r posau braidd yn anodd. Un ai hynny neu mae gennyt ti chwain eto.

OON Os ei di'n wirioneddol ar goll, mae'r atebion yn dechrau ar dudalen 85!

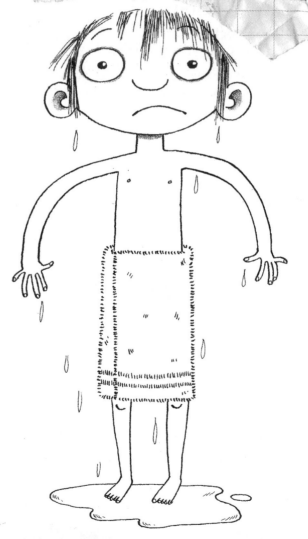

TUDUR GLÂN, TUDI IR BUDR

'I ch a ti! Mae Mam newydd fy ngorfodi i i gael bath (a finnau newydd gael un yr wythnos diwethaf!), felly rydw i'n hollol lân. Plis a wnei di fi'n fudr eto? Mae brown, llwyd a du yn lliwiau da i'w defnyddio. Mae'n amser chwarae'n fudr!

GWYNT PWY?

Pw! Mae 'na rywun wedi gollwng rhech, ond pwy greodd y gwynt drwg? Dilyn y llwybrau drewllyd i ddod o hyd o'r ateb — ond cofia ddal dy drwyn yn gyntaf!

Eifion

Dyfan-Gwybod-y-Cyfan

Tudur

7

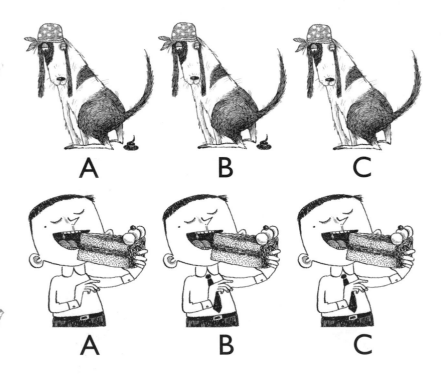

A   B   C

A   B   C

Fy Llyfr Stwnsh

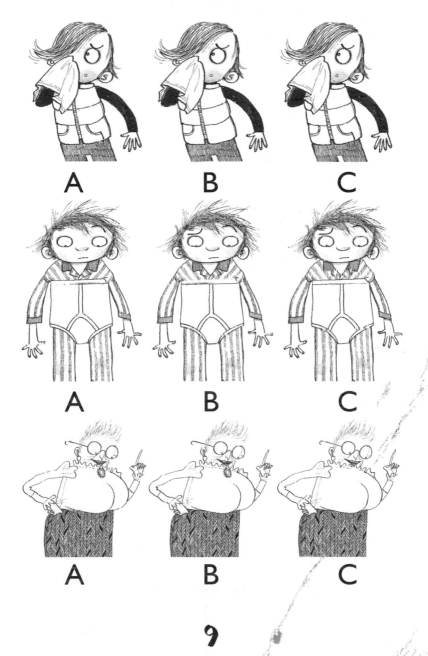

A   B   C

A   B   C

A   B   C

9

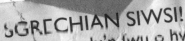

SGRECHIAN SIWSI!
Hi-hi! Mae amser gwely'n fwy o hwyl o lawer ers i mi osod rhai o'm hoff greaduriaid o dan flanced Siwsi! Fedri di aildrefnu'r llythrennau yn y bocsys i ddod o hyd i enwau'r creaduriaid?

Fy Llyfr Stwnsh

1. ynedgoll =

2. nwymyd =

3. alwnem =

4. llamdaf =

5. ryrcon =

6. gabor =

YCH A PYCH!

Dyma rai o'r pethau – a'r bobl –
sy'n gwneud i mi weiddi 'Ych a pych'!
Darllen fy nghliwiau cyfrwys
ar y dudalen gyferbyn er mwyn
llenwi'r croesair yma.

Fy Llyfr Stwnsh

Ar draws

1. Y lliw gwaethaf yn y byd i gyd. Dwi'n casáu'r lliw yma â chas perffaith. Am ryw reswm mae merched yn tueddu i hoffi'r lliw yma'n fawr iawn.
3. Mae Mam yn fy ngorfodi i gael un o'r rhain unwaith yr wythnos – sydd yn rhy aml **o lawer**. Pan ydw i'n dod allan ohono, mae'r dŵr fel arfer wedi troi'n ddu . . .
4. Y bobl hŷn sydd yn yr ysgol – maen nhw'n dweud eu bod nhw yno i'n dysgu ni, ond dwi'n meddwl mai yno i ddifetha'n hwyl ni y maen nhw.
5. Dwi'n gorfod golchi fy wyneb hefo'r stwff yma – mae o bob amser yn mynd i'n llygaid i, ac mae hynny'n llosgi.
6. Ffrind Siwsi – ac un o'r bobl dwi'n ei gasáu fwyaf yn y byd i gyd yn grwn. Fe wnest ti gyfarfod â hi yn y stori 'Drewdod'!

I lawr

2. Dyfan-Gwybod-y-_ _ _ _ _ – fy ngelyn pennaf i.
3. Y llysieuyn gwaethaf **erioed**! Mae o'n wyrdd llachar, yn eithaf blodeuog gyda choesyn tew. Mae'n eithaf tebyg i goeden fechan, a dweud y gwir. Ych a fi, dwi'n teimlo'n eithaf sâl yn meddwl am y peth.

UN, DAU, PRY!

Crafu, crafu! Mae gan yr hen Chwifflwr chwain eto! Fedri di dynnu llinell o chwannen rhif 1 i chwannen rhif 20 i weld beth sydd ar ei feddwl?

1
2
20
3
6
7
4
19
5
8
18
15
9
14
17 16
13
10
12
11

Fy Llyfr Stwnsh

PAM FYDDAI HI'N GRÊT CAEL BOD YN CHWIFFIWR AM Y DYDD

Mae Chwiffiwr mor lwcus! Mae bywyd yn dipyn brafiach i gi nag ydi o i berson! Dyma pam ...

Does yna neb yn edrych ddwywaith pan wyt ti'n gwthio dy drwyn i bentwr o sbwriel seimllyd yn y stryd. Nac wrth arogli pen-ôl ci arall.

Mi gei di chwyrnu ar bobl nad wyt ti'n eu hoffi. Yn enwedig Mr Sarrug.

Does neb byth yn gofyn i ti adrodd tabl saith, nac ysgrifennu traethawd ar y testun 'Beth wnes I yn ystod y gwyliau'.

Os wyt ti eisiau mynd i'r tŷ bach wrth chwarae yn y parc, mi gei di bi-pi yn erbyn coeden.

Rwyt ti'n cael rhedeg ar ôl y lorri ludw i lawr at waelod y stryd bob wythnos.

Does dim disgwyl i ti ddweud 'Sori' nac 'Esgusodwch fi' os wyt ti'n gollwng rhech ddrewllyd. Y cwbl sydd angen i ti ei wneud yw syllu ar dy ben-ôl ac edrych yn hollol syn.

15

ENWI'R ANIFAIL ANWES

Mi fuaswn i wrth fy modd yn cael llond tŷ o anifeiliaid anwes, ond tydi Mam na Dad ddim yn hoffi'r syniad rhyw luwer. Dyma restr o'r anifeiliaid anwes yr hoffwn i eu cael – fedri di feddwl am enwau addas iddyn nhw? Dim ond un rheol sydd – mae'n rhaid i bob enw ddechrau gyda'r un lythyren â'r anifail! Bechgyn fyddai'r anifeiliaid i gyd (wrth gwrs!).

Meilyr _____ madfall

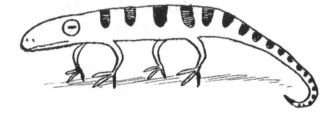

_____ bochdew

_____ broga

16

Fy Llyfr Stwnsh

llygoden fawr

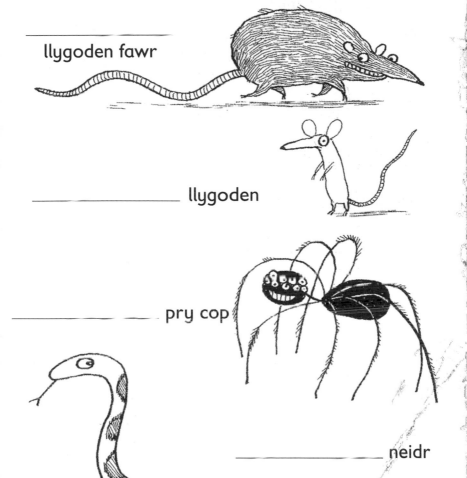

_____ llygoden

_____ pry cop

_____ neidr

_____ chwannen

17

CYFADDEFIAD CUDD TUDUR

Mae gen i gyfrinach fawr i'w chyfaddef wrth fy chwaer Siwsi — gelli di ddatgelu'r gyfrinach drwy ddatrys y cod cyfrwys rydw i wedi'i greu. Edrych ar y lluniau isod a'r llythrennau maen nhw'n eu cynrychioli. Yna ysgrifenna'r llythrennau cywir yn y bylchau ar y dudalen gyferbyn.

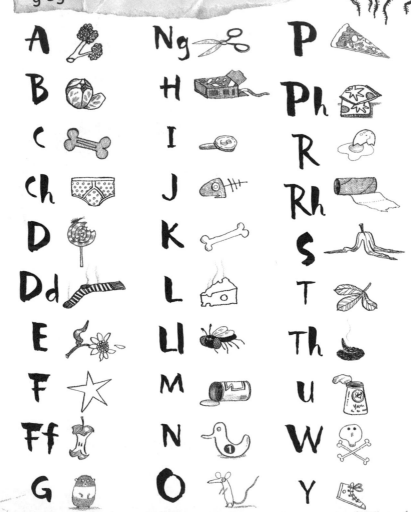

Fy Llyfr Stwnsh

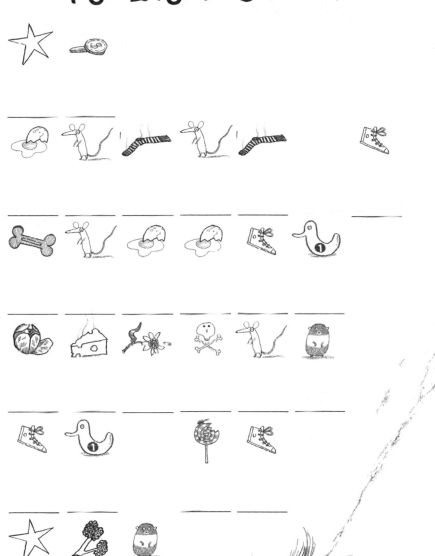

CHWILAIR Y CWPWRDD DILLAD

A dweud y gwir, yn gorwedd ar lawr fy stafell wely, yn union ble wnes i eu gadael nhw neithiwr y mae'r dillad yma, nid yn fy nghwpwrdd dillad! Fedri di ddod o hyd i'r dillad i gyd yn y chwilair sydd ar y dudalen gyferbyn? Gall y geiriau fod wedi'u sillafu ar draws, am yn ôl, neu hyd yn oed o gornel i gornel.

TRENYRS

SIORTS

CÔT

CRYS

PANTS

TROWSUS

ESGIDIAU

SIACED

FEST

SANAU

Fy Llyfr Stwnsh

E	T	F	Ô	S	I	A	C	E	D
G	S	R	I	T	A	U	Ô	N	T
I	A	G	C	D	S	I	T	A	R
S	N	E	I	A	F	E	S	T	O
Ô	A	A	S	D	R	S	E	N	W
P	U	N	I	O	I	A	C	E	S
A	U	C	O	F	Y	A	T	S	U
N	Y	E	R	S	O	S	U	Y	S
T	T	R	T	R	E	N	Y	R	S
S	E	C	S	D	N	Ô	R	C	T

21

PYDRU MEWN PENTWR O SBWRIEL

Mmmm, arogl hyfryd llysiau wedi pydru! Dyma fi'n chwilota yn y domen sbwriel leol, un o fy hoff lefydd yn y byd! Mae yna lawer o bethau ffantastig yma, ond sawl math gwahanol o anifail byw fedri di ei weld yn gwledda yn y sbwriel?

22

BUSNES Y BINIAU

Does dim yn y byd sy'n well gen i
na chwilota mewn biniau – er eu bod
nhw'n drewi, mae yna gymaint o stwff
diddorol ynddyn nhw! Fedri di gyfri
sawl bin sydd yn y llun yma?
Dechreua'n syth 'bìn'!

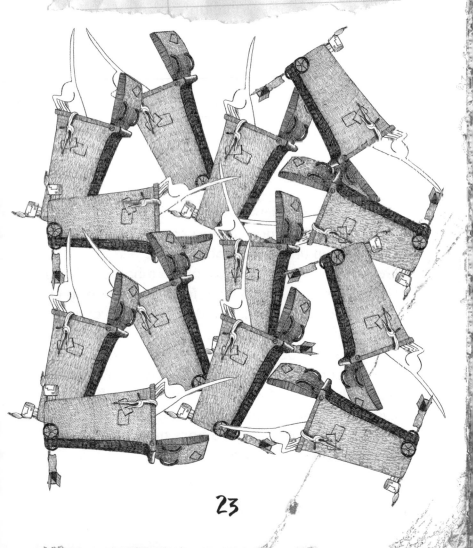

23

GÊM WALLGO CYFFWRDD-A-THEIMLO TUDUR

Mae hon yn gêm wych i'w chwarae mewn partïon gan ei bod yn siŵr o wneud i bawb grynu, chwysu a sgrechian!

Bydd angen:
Oedolyn i helpu
Bocsys cardfwrdd mawr
Siswrn
Bowlenni
Pethau ych a fi i'w cyffwrdd
(edrych ar y rhestr gyferbyn)

① Gosod y bocsys ben i waered ar y llawr.

② Torri twll sy'n ddigon mawr i roi dy fraich drwyddo yn un ochr o bob bocs.

③ Gosod cynhwysion gwahanol ym mhob bowlen a rhoi bowlen ym mhob bocs, fel ei bod yn bosib ei chyrraedd drwy'r twll, ond ddim yn bosib ei gweld.

④ Gofyn i dy ffrindiau yn eu tro i roi un fraich yn y twll a theimlo beth sydd yn y bowlen. Wrth iddyn nhw wneud hyn, mae angen i ti ddisgrifio beth maen nhw'n ei gyffwrdd, e.e. 'Rwyt ti'n cyffwrdd llygad go iawn ar hyn o bryd!' Neu mi fedri di ysgrifennu ar du allan pob bocs beth sydd ym mhob twll, e.e. mwydod!

Pethau ych a fi i'w rhoi yn y bowlenni:

Grawnwin neu geirios wedi'u pilio – llygaid
Sbageti oer neu nwdls – mwydod
Selsig bach neu foron – bysedd
Jam – snot
Peli bach clai – pw
Ffwr ffug – anifail wedi marw
Bisgedi neu fara sych – esgyrn wedi'u torri
Wyau wedi'u berwi'n galed (heb y plisgyn) –
calonnau
Cnau – dannedd
Jeli – ymennydd neu berfedd
Unrhyw deganau plastig ar ffurf pryfed / pry cop

Os nad oes gennyt ti focsys cardfwrdd, fe
elli di chwarae'r gêm drwy gael pawb i eistedd
ar y llawr mewn cylch a diffodd y golau.
Yna, pasia'r bowlenni o amgylch y cylch, un
ar y tro, wrth ddisgrifio'r cynhwysion cyfoglyd.
Byddi'n siŵr o glywed sawl 'ych a fi' wrth i dy
ffrindiau gyffwrdd â'r eitemau afiach!

DAU'N DEBYG

Hi hi! Dyma lun ohona i a 'nheulu.
Fe ges i ffrae gan Mum am dynnu
stumiau gwirion. Fedri di ddod o hyd i
naw gwahaniaeth rhwng y llun hwn a'r
llun sydd ar y dudalen gyferbyn?

Fy Llyfr Stwnsh

27

DAN Y DAIL!

Gwylia dy hun! Mae Mr Sarrug wrthi'n sgubo'r dail ac maen nhw'n mynd i bobman! Edrycha'n ofalus rhwng y dail i weld a fedri di ffeindio saith peth. Yna gwna nodyn o dy atebion ar y ddeilen anferth sydd ar y dudalen gyferbyn.

Gallaf weld . . .

GWEN AR GOLL!

Mae Siwsi fy chwaer wedi defnyddio rhwbiwr i gael gwared ar fy wyneb. Tybed fedri di roi popeth yn ôl ar fy wyneb? Mi fuaswn i'n hoffi cael gwên fawr, a thynnu tafod ar Siwsi.

30

7

6 • 8

43 • 1 • 2 • 3 • 5 • 9
42 4 • 10
11
38 • 12
41 37 32 31 26 25 24 19 18
40 39 • 13

• 14

36 33 20
35 30 23 17
34 29 28 27 22 21 16 15

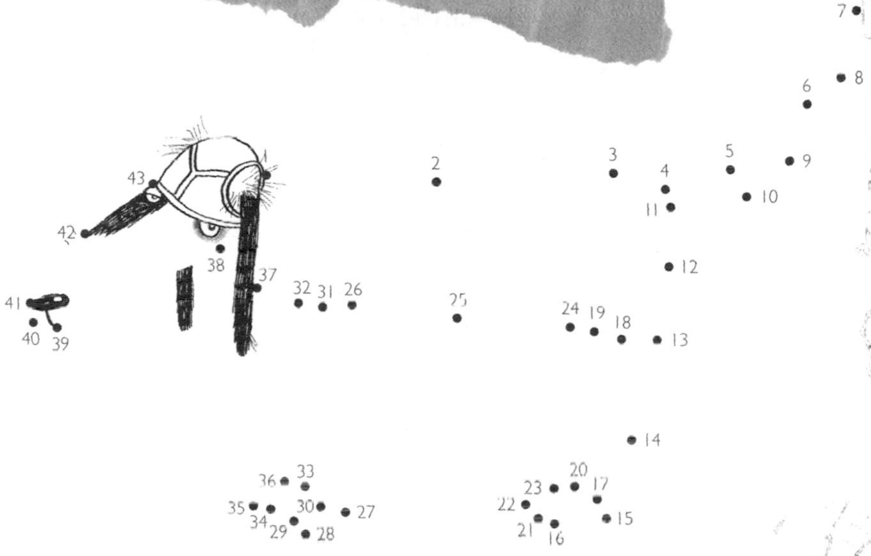

NEIDR EIRIAU

Dwi wrth fy modd yn mynd i'r ardd i chwilio am bryfed newydd ar gyfer fy nghasgliad o drychfilod! Dyma fy hoff rai. Fedri di ddod o hyd i'r geiriau yn y grid gyferbyn gan ddefnyddio pensil? Mae'r geiriau'n dilyn ei gilydd mewn un llinell hir, yn llithro i fyny ac i lawr, yn ôl ac ymlaen, ond byth o gornel i gornel. Maen nhw yn yr un drefn â'r rhestr yma. Dwi wedi dod o hyd i'r gair cyntaf i roi help llaw i ti!

M|A|L|W|E|N

C|H|W|I|L|E|N

L|I|N|D|Y|S   M|W|Y|D|Y|N

C|O|R|R|Y|N

P|R|Y|F C|L|U|S|T

S|I|A|N|I
F|L|E|W|O|G

M	A	L	W	O
N	E	W	E	G
Ch	L	E	L	F
W	I	N	N	I
N	I	L	A	I
D	M	W	T	S
Y	S	Y	S	U
N	Y	D	C	L
C	R	Y	F	Y
O	R	N	P	R

STWNSH I CINIO YSGOL
O diar! Mae Mrs Llwyd,
cogyddes yr ysgol, wedi drysu'n
cinio ysgol ni. Fedri di gysylltu'r
geiriau cywir drwy dynnu
llinell rhyngddynt?

Cinio Ysgol

Tatws	afal
Pwdin	tomato
Tarten	bolognese
Bara	iâ
Cawl	reis
Sbageti	newydd
Hufen	ffrwythau
Salad	brith

CINIO CYMHLETH

O na! Mae'r gogyddes newydd, Miss Moronen, yn dechrau heddiw, ac mae hi am gael bwyd iach yn unig ar fwydlen yr ysgol! Fedri di gael gwared â'r byrbrydau llawn siwgr a / neu (b)fraster cyn iddi gyrraedd? Rho groes drwy'r lluniau, gan adael dim ond y bwyd iach ar ôl.

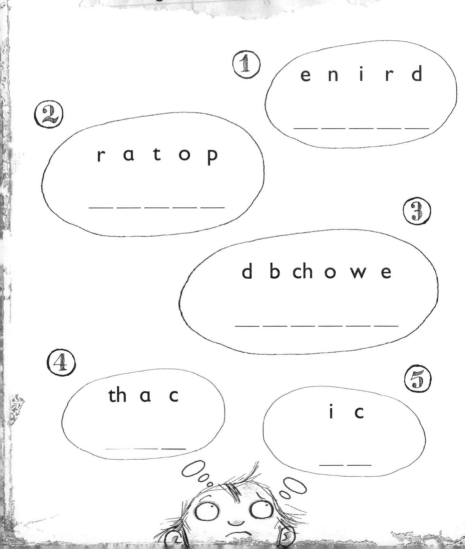

FFWNDRO'R FET

Roedd mynd â Chwiffiwr at y fet yn gamgymeriad mawr. Mae'r anifeiliaid i gyd yn rhedeg mewn cylchoedd wedi'u cynhyrfu'n lân! Mae eu henwau wedi'u cymysgu hefyd. Fedri di eu datrys nhw?

① e n i r d
_____

② r a t o p
_____

③ d b ch o w e
_____

④ th a c
____

⑤ i c
___

37

TARANTIWLAS BRAWYCHUS A BLASUS I UDUP.

Mae'r cacennau corynnod yma'n ffiaidd o realistig ac yn frawychus o flasus i'w bwyta. Gwna'n siŵr dy fod ti'n llyfu'r llwy pan nad oes neb yn edrych! Iym-iym!

Bydd angen:

Oedolyn i helpu
6 o gacennau bach mewn casys papur
(wedi'u gwneud yn barod)
30g o fenyn meddal
30g o siwgr eisin
1 llwy fwrdd o bowdr siocled
Smarties neu fotymau siocled fel llygaid
Pecyn o stribedi licris du
Bowlen
Llwy bren
Rhidyll
Siswrn

Sut i'w gwneud:

① Yn gyntaf, rhidylla'r siwgr eisin i bowlen er mwyn cael gwared â phob lwmp, yna rhidylla'r powdr siocled yfed ar ben y siwgr eisin. Cymysga nhw gyda'i gilydd.

② Ychwanega'r menyn a'i gymysgu â'r llwy bren hyd nes bod gennyt ti eisin brown hufennog. Mmm!

③ Gorchuddia dop y gacen gyntaf gyda'r eisin blasus gan ddefnyddio llwy de. Hwn fydd corff dy gorryn!

④ Torra'r stribedi licris yn ddarnau tua 5 cm o hyd. Bydd angen wyth coes licris ar bob cacen.

⑤ Er mwyn creu'r corryn, gosoda ddau Smartie, neu unrhyw fferins crwn ar flaen y gacen, fel y 'llygaid'. Yna gwasga'r wyth darn o licris i'r eisin o amgylch y corff fel y 'coesau'. Gwna'r un peth gyda'r cacennau eraill.

⑥ A dyna ni – llond plât o darantiwlas brawychus a blasus! Bwyta nhw cyn gynted â phosibl, cyn i bawb arall eu gweld nhw a'u llowcio i gyd!

GWNEUD GWISG FFANSI

Mae hi'n ddiwrnod parti pen-blwydd
Eifion yr wythnos nesaf a bydd angen
gwisg ffansi newydd arna i. Fedri di
gynllunio un i mi? Trychfil, bwystfil,
môr-leidr, dyna'r math o bethau rydw
i'n eu hoffi – ac yn bendant ddim byd
merchetaidd na phinc. Ocê?

ESGUSODION GORAU TUDUR I OSGOI PARTÏON MERCHED

Dwi wrth fy modd gyda phartïon pen-blwydd — creision, cacennau, diodydd swigod, gêmau — gwych! Ond mae partïon merched yn fater hollol wahanol. Cefais fy ngorfodi unwaith i fynd i barti Arianrhod Melys, ac nid yn unig roedd y lle'n LLAWN o ferched (ych a fi!), ond roedd pob dim yn boenus o binc hefyd! Ych-a-fi lluosi efo tri! Felly, dyma sut mae osgoi parti:

ESGUS FOD YN SÂL

Smalia dy fod ti wedi dal salwch diffrifol ar fore'r parti. Er mwyn creu effaith ychwanegol, rhuthra i'r ystafell ymolchi bob pum munud a gwna sŵn chwydu uchel. Defnyddia golur Mam i wneud dy hun i edrych yn welw ac yn fwy sâl.

ESGUS FOD YN DWP

'Colla'r' gwahoddiad, rhwbia'r gair 'parti' oddi ar y calendr a phaid â sôn am y peth eto. Gyda lwc, bydd dy fam a dy dad prysur wedi anghofio am y parti'n gyfan gwbl.

CUDDIO

Ffeindia guddfan wych (basged dillad budron, cwpw'dd, sied, a.y.b.), pacia'r pethau angenrheidiol fel creision a lemonêd a 'diflanna' am sbel. Gwna'n siŵr nad wyt ti'n dod allan o'r guddfan CYN bod y parti drosodd — os doi di allan yn rhy fuan byddi'n cael dy hebrwng yn erbyn dy ewyllys i'r hunllef ferchetaidd.

SEFYLLFA ANOBEITHIOL

Os wyt ti'n cael dy orfodi i fynd i'r parti, gwna'n siŵr dy fod yn camymddwyn mor wael fel na chei di dy wahodd yno byth eto.

41

Hwrê! Mae'n ddiwrnod gorau'r flwyddyn – diwrnod fy mhen-blwydd, ac mae yna gymaint o fwydydd blasus a gweithgareddau hwyliog wedi'u trefnu fel nad ydw i'n gwybod ble i ddechrau! Fedri di ddatrys y posau pen-blwydd yma?

① Petawn i'n bwyta pedair brechdan, faint fyddai ar ôl?

② Petawn i'n llowcio dau ddarn o'r gacen pen-blwydd, sawl darn fyddai ar ôl?

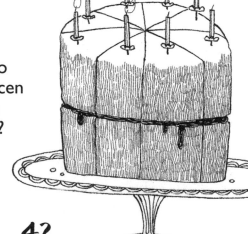

42

③ Petawn i'n agor pum anrheg, faint fyddai gen i ar ôl?

④ Petawn i'n byrstio saith balŵn, sawl un fyddai ar ôl?

NEIDIO O DDOT-I-DOT

Wii! Rydw i'n cael amser wrth fy modd yn y parti yma! Fedri di gysylltu'r dotiau i weld beth rydw i'n neidio arno?

POS PARTI

Fedra i ddim aros tan fy mharti pen-blwydd nesaf!
Fedri di ddyfalu fel beth rydw i am wisgo i fyny?
Edrych ar y lluniau isod ac ysgrifenna lythyren
gyntaf pob gair yn y bwlch cywir i gael gwybod.

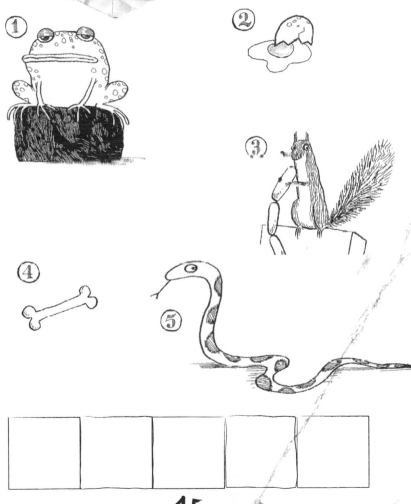

TRYCHINEB Y TROLI

O na! Mae Nain wedi bod yn siop y cigydd i brynu selsig, ond mae Chwiffiwr wedi dianc gyda'i neges! Fedri di ei helpu i'w cael yn ôl? Gwna lwybr i Nain drwy'r ddrysfa.

COFIO?

Dydw i ddim yn un da iawn am gofio pethau, yn enwedig pethau fel gwaith cartref a thacluso fy stafell wely. Pa mor dda ydi dy gof di? Edrych ar y bocs o eiddo cyfrinachol rydw i'n ei gadw'n saff o dan fy ngwely, ond dim ond am un funud yn unig. Yna gorchuddia'r llun gyda darn o bapur i weld a fedri di ysgrifennu chwe pheth oedd yn fy mocs.

HOFF BETHAU TUDUR

Dyma welliant – chwech o'm hoff bethau i! Edrych ar y cliwiau yn y lluniau ac yna ysgrifenna'r geiriau yn y bylchau cywir yn y croesair. Rydw i wedi rhoi un llythyren yn y bwlch cywir i dy helpu di! Awgrym! Cyfra sawl llythyren sydd ym mhob gair i weld ym mha fwlch maen nhw'n ffitio.

48

Fy Llyfr Stwnsh

Ch

LLANAST LLAFARIAID

Dyma rai o'm hoff eiriau. Os wyt ti wedi bod yn darllen fy llyfrau, dwi'n siŵr y byddi di'n eu hadnabod nhw! Mae un llafariad ym mhob gair ar goll. Ond pa un – A, E, I, O, U, W neu Y?

gw__nt   sn__t

ch__d   rh__ch

s__wriel   b__w

DIANC WRTH DYFAN!

Mae'r Dyfan-Gwybod-y-Cyfan yna eisiau chwarae tric arna i ac felly dwi'n ceisio cadw'n ddigon pell oddi wrtho. Fedri di fy arwain i at Chwiffiwr heb ddod ar ei draws o? Tynna linell drwy'r ddrysfa — ond, cofia, paid â mynd â fi'n agos at Dyfan-Gwybod-y-Cyfan!

NEIDR GEIRIAU'R YSGOL

Mae'r ysgol yn iawn, am wn i, ond byddai'n syniad llawer gwell petai'r athrawon yn diflannu ac yn gadael i'r plant redeg y lle! Yna, buasem yn cael gwneud pethau cŵl fel y neidr eiriau yma rydw i wedi'i chreu. Mae yna 11 o eiriau'n ymwneud â'r ysgol yn y grid gyferbyn, ac maen nhw yn yr un drefn â'r rhestr yma. Fedri di ddod o hyd iddynt gan ddefnyddio pensil? Mae'r geiriau'n dilyn ei gilydd mewn un llinell hir, yn llithro i fyny ac i lawr, yn ôl ac ymlaen, ond byth o gornel i gornel.

1 P|E|N|S|I|L

2 B|A|G

3 P|R|E|N M|E|S|U|R

4 A|TH|R|O

5 P|R|I|F|A|TH|R|O

6 C|A|E CH|W|A|R|A|E

7 RH|W|B|I|W|R

8 D|E|S|G

9 LL|Y|F|R|A|U

10 C|I|N|I|O

P	S	I	C	I	O
E	N	L	U	N	I
G	A	B	A	R	F
P	R	S	G	Ll	Y
N	E	E	D	R	W
M	E	S	W	B	I
R	Th	U	Rh	E	A
O	A	R	W	A	R
P	F	A	Ch	E	A
R	I	Th	R	O	C

ADNABOD Y CYSGOD

Iesgob! Fyddet ti ddim eisiau cyfarfod â rhai o'r bobl rydw i'n eu hadnabod ar noson dywyll! Fedri di adnabod y criw dychrynllyd yma yn ôl eu cysgodion?

1

2

3

4

A

B

Ch

C

TECHNEGAU TUDUR:
SUT I FYND AR NERFAU DY ATHRO

Mae'r syniadau yma wedi gwneud I mi
chwerthin, ond fuaswn i BYTH yn meiddio
TRIO unrhyw un ohonyn nhw. Pam? Achos
mi fuaswn i mewn CYMAINT O DRWBL!
Fel yr adeg honno pan wnes i gloi
Mr Gwanllyd yn y cwpwrdd – er efallai na
ddylwn i fod wedi gwisgo'i ddillad o
a cheisio rhoi gwers i'r dosbarth chwaith . . .

- Cymryd arnat fod gen ti stumog wan a gofyn am gael mynd i'r tŷ bach bob pum munud.
- Cloi dy athro yn y cwpwrdd (ydi, mae o wedi cael ei wneud o'r blaen) OND y tro yma, ceisia ddynwared llais y prifathro, fel mai fo fydd yn cael y bai.
- Cael gafael ar chwiban yr athro addysg gorfforol a stwffio gwm cnoi ynddo fo.
- Gofyn 'Ond pam?' ar ôl POB DIM mae dy athro'n ei ddweud.
- Pan mae'r athro'n troi ei gefn i ysgrifennu rhywbeth ar y bwrdd gwyn, dwyn pob un o'i feiros / beiros.
- Snwffian yn ddi-stop.
- Gollwng 'bom dom' a wnest ti adref o dan ddesg yr athro.

YSGOL EIRIAU MR SARRUG

O na, dacw Mr Sarrug yn ei dymer annifyr arferol. Fedri di gwblhau bob pâr o eiriau tair llythyren drwy roi un llythyren rhwng pob gris o'r ysgol? Wedyn, fe gei di wybod sut mae Mr Sarrug yn teimlo bob tro mae'n fy ngweld i yn yr ysgol! Rydw i wedi cwblhau'r pâr cyntaf yn barod ar dy gyfer di.

NE	β	AG
TA		OL
TE		NC
OE		EB

CARTREF NEWYDD ARTHUR

Fel arfer, dwi'n cadw fy mwydyn dof, Arthur, mewn bowlen bysgodyn aur wedi'i llenwi â mwd, dail a milwr plastig yn gwmni iddo. Mae o'n dechrau diflasu ac eisiau pethau newydd o'i amgylch. Fedri di dynnu llun o gartref newydd anhygoel iddo gyda lle chwarae 'gwing-tastig' iddo wingo ynddo?

HELPU ARTHUR!

O na! Mae Arthur, fy mwydyn dof, wedi gwingo'i ffordd allan o'r bowlen ac wedi mynd ar goll. Fedri di ei helpu i ffeindio'i ffordd 'nôl adref? Dilyn y llwybrau llysnafeddog i ffeindio'r ffordd gywir.

PA CHWIFFIWR?

Waw! Mae yna gymaint o Chwiffwyr o gwmpas! Efallai eu bod nhw'n edrych yn union yr un fath â'i gilydd, ond wrth graffu'n ofalus fe weli fod yna un Chwiffiwr yn wahanol i'r gweddill. Ond, fedri di ddod o hyd iddo?

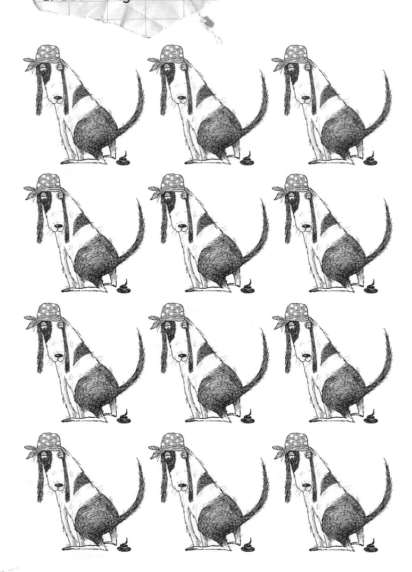

CREU NEIDR SY'N NEIDIO GYDA TUDUR

Mae'r neidr droellog yma'n hynod o hawdd i'w chreu ac yn wych i warchod dy ystafell wely wrth ddychryn unrhyw un sy'n meiddio mentro i mewn iddi. Dwi'n gwneud llawer ohonyn nhw mewn gwahanol liwiau ac yn eu hongian nhw o gwmpas y llofft i ddychryn fy chwaer fawr!

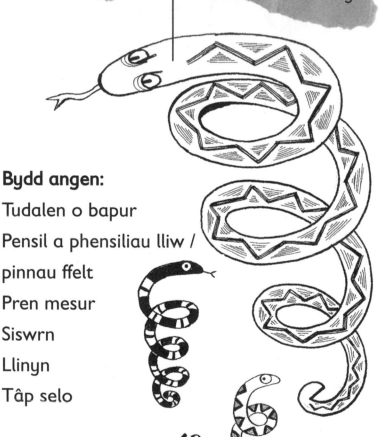

Bydd angen:

Tudalen o bapur

Pensil a phensiliau lliw / pinnau ffelt

Pren mesur

Siswrn

Llinyn

Tâp selo

Dull:

- Torri darn sgwâr o bapur 15 cm x 15 cm.
- Tynnu llun o neidr droellog i lenwi'r sgwâr, yn union fel y llun isod.
- Creu patrwm ar y neidr a'i liwio gyda llawer o liwiau llachar. Paid ag anghofio rhoi dau lygad slei ar ei phen. Beth am greu tafod pigog o'r papur sydd yn sbâr a'i ludo ar y neidr i greu mwy o effaith!
- Torri'r neidr ar hyd y llinell yn ofalus a glynu darn o linyn yn sownd wrth ben y neidr gyda thâp selo. Dyna ti'n barod i'w hongian o'r nenfwd neu ar fachyn hongian dillad. Neidia neidr!

PENILLION PRYFOCLYD TUDUR

Mi fetia i nad oedd gennyt ti syniad 'mod i'n dipyn o fardd ar y slei! Dwi'n mwynhau sgriblo odlau yn fy llyfr nodiadau a chreu penillion – gorau yn y byd po fwyaf afiach ydyn nhw!
Fedri di fy helpu i orffen pob pennill trwy ddewis gair sy'n odli o'r rhestr ar y diwedd?

Edrych ar hwn! Wel ar fy ngwir!
Mae'n snot i'n wyrdd ac o mor _____.

Bob nos wrth i'r cloc daro chwech
Mi fydda i'n gollwng diawl o _____.

Wrth lowcio pop yn gynt a chynt
Mi fedri wedyn dorri _____.

64

Fy Llyfr Stwnsh

Mae Chwiffiwr weithiau, ar fy llw,
Yn hoff o arogleuo —————.

'O Tudur! Beth sydd ar dy law?'
Does dim byd arni, dim ond —————.

Mae Mam yn gweiddi 'Tudur! Paid!'
Pan fydda i'n neidio yn y —————.

SALAD SYMUDOL

Un o uchafbwyntiau fy mywyd oedd creu salad
newydd ar gyfer amser cinio'r ysgol, gyda
chynhwysion cyfrinachol a 'ffres' – CYNRHON!
Bu bron i Miss Prydderch neidio o'i chroen
pan wnaeth hi flasu rhywbeth hallt a gwlyb
yn ei cheg!

Fedri di greu salad symudol, seimllyd
a byw sydd hyd yn oed yn waeth na f'un i?
Lindys gyda'r letys? Cragen malwen gyda'r
ciwcymbr? Beth am ychwanegu ychydig
o liw gyda buwch goch gota neu ddwy?
Mmmm! Tynna lun ohonyn nhw ar
y plât yma.

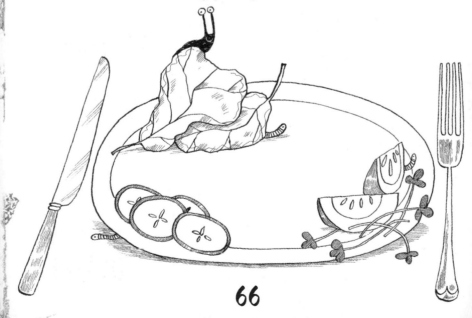

AROGLEUON GWAETHAF TUDUR

Dyma'r arogleuon GWAETHAF yn y byd, am wn i. Mi fuaswn i wrth fy modd yn arogli ffrwyth dwrian, sef yr arogl gwaethaf yn y byd yn ôl y sôn. Mae'n tyfu yn Asia a'i arogl wedi cael ei ddisgrifio fel arogl drewgi, chwd a hen sanau! Mi fuaswn i wrth fy modd yn cael gafael ar un a'i guddio yn sied Mr Sarrug!

- Y bomiau dom rydw i wedi'u creu – y gorau heb os nac oni bai!
- Pen-ôl gwyntog Chwiffiwr, yn enwedig ar ôl iddo fod yn bwyta'r bresych oddi ar ochr fy mhlât i.
- Bin llawn ar ddiwedd wythnos boeth. Pwww!
- Persawr afiach o ddrewllyd Siwsi – gwaeth nag unrhyw faw ci.
- Y frechdan ham a adewais ym mhoced fy mag drwy'r haf. Pan gofiais amdani, roedd yn wyrdd llachar ac yn drewi.
- Chwa o Chwiffiwr gwlyb. Ar ôl iddo fod yn nofio yn y gamlas ac yn sychu ei hun o flaen y tân, mae'n well gadael y tŷ am ychydig ddyddiau . . .
- Chwd pobl eraill.
- Toiledau'r ysgol, yn enwedig pan na fydd Mr Sarrug wedi sortio'r broblem ar ôl i un ohonon ni eu blocio.
- Fy nhrenyrs cawslyd. Mae Mam yn gwneud i mi eu gadael y tu allan i'r drws cefn am fod yr arogl yn 'farwol', meddai hi. Roedd clywed hynny'n gwneud i mi deimlo'n falch dros ben!

Bom Dom Drewllyd Ofnadwy Tudur - Dewis 1

1 lwmp o gaws drewllyd   1 hosan bêl-droed
4 wy drwg   chwyslyd
1 tun o fwyd ci   3 deilen bresychen
Blew ci — llond   wedi llwydo
    llaw go lew

BOM DREWLLYD GWAETHA'R BYD

Fe wnes i dreulio wythnosau'n casglu'r
cynhwysion mwyaf drewllyd y gallwn i ddod o
hyd iddyn nhw ar gyfer fy mom dom arbennig i,
a chreda fi, roedd o'n ofnadwy o ddrewllyd!
Petait ti'n creu bom dom, pa gynhwysion
drewllyd fyddet ti'n eu rhoi ynddo? Ysgrifenna
dy rysáit ffiaidd yn fan hyn.

Fy mom dom drewllyd diawledig fy hun

1. PRY YN Y PARTI

Un tro, fe wnes i smalio fod yna bry yn hofran o gwmpas fy mhen yn ystod barbeciw teuluol a gwneud môr a mynydd o'r peth, gan chwifio 'mreichiau'n wyllt wrth drio'i ddal. Pan nad oedd neb yn edrych, fe wnes i estyn resinen o'm poced, ac yna cyhoeddi wrth bawb 'mod i wedi dal y pry, gan ddangos y resinen oedd yn fy llaw yn sydyn iddyn nhw, cyn ei thaflu hi i mewn i 'ngheg! Fe ddylet ti fod wedi gweld wynebau pawb wrth iddyn nhw 'ngwylio i'n cnoi a chnoi! Bu bron i Nain dagu ar ei byrgyr a rhedodd Siwsi o'r ardd yn sgrechian! Canlyniad campus!

2. AMSER AM NEWID

Wnaeth Mam, Dad na Siwsi ddim gweld yr ochr ddoniol i bethau pan newidiais i amser BOB cloc yn y tŷ (ar wahân i fy nghloc i, wrth gwrs) fel eu bod nhw awr yn fuan. Dylet ti fod wedi'u gweld nhw fore Llun, yn rhuthro ac yn bloeddio, yn meddwl eu bod nhw'n ofnadwy o hwyr! Yna, fe gyrhaeddodd pawb eu gwaith neu'r ysgol cyn i un o'r ddau le agor! Cofia di, Mam a Dad oedd yn chwerthin pan gefais i 'ngyrru i'r gwely DDWY AWR GYFAN yn gynnar ... Pa mor annheg oedd hynny?

3. PW I TI

Roedd Dyfan-Gwybod-y-Cyfan yn gofyn
amdani ar ôl yr holl driciau cas mae o wedi'u
chwarae arna i yn y gorffennol! Gartref, mi
fues i wrthi am oriau yn paratoi 'pw' ffug, gan
ddefnyddio darn mawr o glai brown. Erbyn i mi
orffen gweithio arno, gan ddefnyddio offer
amrywiol, roedd o'n edrych fel 'pw' go iawn.
Y diwrnod wedyn, fe gyrhaeddais i'r ysgol yn
gynnar a gosod y 'pw' o dan gadair Dyfan-
Gwybod-y-Cyfan. Pan ddechreuodd y wers
gyntaf, dechreuais snwffian yn uchel, gan ddweud,
'Pw, beth ydi'r arogl drwg yna?' Edrychais o'm
cwmpas cyn pwyntio at gadair Dyfan a gweiddi,
'Edrychwch, ddaru Dyfan ddim
cyrraedd y tŷ bach mewn pryd!'
Dylet ti fod wedi gweld ei wyneb
o'n cochi wrth iddo
drio gwadu'r peth!

POS PATRWM PAWENNAU

Mae stumog Chwiffiwr yn cadw swn – mae o'n barod am ei ginio. Fedri di lenwi'r pawennau isod gyda'r rhifau cywir i'w arwain o at ei bowlen? Edrycha'n ofalus ar ddilyniant a phatrwm y rhifau.

FFYRDD GORAU TUDUR
O FOD YN FUDR, FUDR, FUDR

- Disgyn yn ddamweiniol i ffos neu gamlas. Ar ôl hynny, fe fyddi di'n fudr, yn wlyb ac yn drewi hefyd! Tri am bris un – gwych!
- Mynd am glyweliad ar gyfer rhan y sgubwr simnai yn y sioe gerdd *Mary Poppins*.
- Mynd am dro i'r fferm agosaf i rowlio yn y mwd gyda'r moch.
- Llithro yn un o bw pws mawr Chwiffiwr.
- Mynd am antur i'r domen sbwriel leol, yn gwisgo crys-T a throwsus gwyn.
- Gwagu'r bwced glo dros dy ben.
- Chwarae pêl-droed ar dir corslyd. Bydd wyneb Mam yn bictiwr wrth i ti gyflwyno'r cit budr iddi.
- Bod yn greadigol mewn gweithgaredd celf, gan ddefnyddio llawer iawn o baent du.
- Dod yn ddyn bin rhan-amser. Ffantastig!
- Mynd i fferm a sefyll o dan ben-ôl buwch wrth iddi godi ei chynffon …

DAU DEBYG

Yn ôl yr arfer, mae Dad yn llwyddo i ddreifio'r car a dweud y drefn wrtha i ar yr un pryd ... hmmm! Fedri di ddod o hyd i saith gwahaniaeth rhwng y llun isod a'r llun sydd ar y dudalen gyferbyn?

Fy Llyfr Stwnsh

LLIWIAU'N GLIWIAU

Darllena bob cliw a dyfala'r lliw.
Yna ceisia ddod o hyd i'r lliw yn y
chwilair gyferbyn – gall y geiriau fod
wedi'u sillafu ar draws, am yn ôl,
i fyny, i lawr, neu o gornel i gornel.

1. Lliw baw trwyn neu snot. Lliw brocoli hefyd.
2. Un o fy hoff liwiau i – lliw glo, inc a chlogyn
dyn drwg. Dyma hefyd liw fy nghlustiau,
yn ôl Mam, pan na fydda i wedi'u golchi nhw
ers tro.
3. Ych-a-fi! Mae'n gas gen i'r lliw yma – y lliw
mwyaf merchetaidd ac afiach a gwirion yn
y byd. Meddylia am dylwyth teg, a
sgertiau bale . . . fedra i ddim rhestru
mwy neu mi fydda i'n sâl!
4. Coelia neu beidio, ond dyma liw gwaed
octopws! A lliw'r awyr hefyd (pan mae hi'n braf).
5. Lliw cwstard yr ysgol.
6. Lliw grêt – meddylia am fwd a baw!
7. Pan fydda i'n syrthio ac yn cleisio,
dyma liw'r cleisiau.
Dyma hefyd ydi lliw eirin.
8. Lliw ein gwaed ni.

D	A	G	D	U	A	C	Ch	C
O	E	G	W	Y	R	Dd	D	A
O	B	N	O	P	F	I	C	W
G	R	S	W	O	L	O	E	Y
W	O	O	C	D	Ch	H	W	N
S	W	I	D	R	C	Dd	T	C
A	N	Y	L	E	M	C	N	C
L	T	D	R	I	L	I	M	O
G	E	W	P	U	P	I	W	S

PWY SY'N DWEUD BETH?

Weithiau, mi fuasai'n dda gen i petai pawb yn gadael i mi gael munud bach o heddwch i mi fy hun! Fedri di ddyfalu pwy sy'n dweud beth drwy dynnu llinell rhwng y cymeriad a'r geiriau cywir?

78

Pa mor fudr wyt ti?

Ticia a, b, neu c i weld a wyt ti'n fudr fel Tudur, yn ychydig bach yn fudr fel Eifion, neu'n sgleinio fel Siwsi.

1. Pa liw ydi'r dŵr ar ôl i ti gael bath?

a. Yr un mor lân ag yr oedd o cyn i ti gamu i mewn iddo.

b. Braidd yn llwyd gydag ychydig o faw yn arnofio ar yr wyneb.

c. Yn hollol ddu gydag ychydig o bryfed a thrychfilod yn nofio ynddo.

2. Rwyt ti ar fin tisian – ac mae o am fod yn disian mawr! Beth wyt ti'n ei wneud?

a. Defnyddio hances lân newydd (rwyt ti wastad yn cadw un yn dy boced rhag ofn) i ddal y germau, gan ddweud 'Esgusodwch fi!'

b. Ceisio dod o hyd i hances, ond yn methu, ac yn defnyddio dy lawes yn lle hynny.

c. Yn aros nes dy fod ti'n tisian, yna defnyddio dy law i sychu'r snot, gan ei wasgaru ar draws dy wyneb. Wedyn, chwilio am unrhyw ddarn hir o faw trwyn sydd wedi glynu wrth gefn dy law.

3. Sut fuaset ti'n disgrifio cyflwr dy stafell wely?

a. Hafan o heddwch a thawelwch, gydag arogl melys, a phopeth yn lân, yn daclus ac wedi'i drefnu yn ôl yr wyddor.

b. Gweddol flêr, braidd yn llychlyd, ond yn ddigon da ar gyfer gwahodd pobl draw i aros dros nos.

c. Dwyt ti ddim yn hollol siŵr sut mae dy stafell wely di'n edrych – dwyt ti ddim wedi sylwi ers blynyddoedd oherwydd yr holl stwff a'r llanast sydd ym mhobman!

4. Pa mor aml wyt ti'n ymolchi dy wyneb?

a. Bob bore a nos, wrth gwrs! Dwyt ti byth yn anghofio!

b. Bob nos cyn i ti fynd i'r gwely, os wyt ti'n cofio.

c. Bob tro mae dy rieni di'n sylwi pa mor fudr yw dy wyneb di ac yna'n dy orfodi i fynd i'r stafell ymolchi. Yn ffodus, dydi hyn ddim yn digwydd yn aml iawn.

5. Rwyt ti'n dod o hyd i iogwrt y mae pawb wedi hen anghofio amdano yn cuddio yng nghefn yr oergell. Mae o wedi hanner ei agor, yn drewi o hen sanau a chaws ac yn amlwg wedi llwydo gan fod y rhan uchaf yn wyrdd ac yn flewog. Sut wyt ti'n ymateb?

a. O'i weld, rwyt ti'n agos iawn at chwydu ac felly'n taflu'r peth afiach yn syth i'r bin – gan wneud yn siŵr dy fod yn gwisgo menig rwber rhag dal unrhyw germau.

b. Rwyt ti wedi cael tipyn o sioc, ond rwyt ti hefyd yn awyddus i gael gwell golwg ar y tyfiant trychinebus drwy ddefnyddio chwyddwydr.

c. Rwyt ti'n meddwl dy fod yn hynod lwcus ar ôl dod o hyd i hwn! Rwyt ti'n gwybod y byddai'n ychwanegiad diddorol iawn at y casgliad cyfoglyd o bethau sy'n cael eu cadw'n ddiogel gennyt ti o dan dy wely.

6. Beth ydi dy wendid mwyaf di?

a. Mae'n gas gennyt ti gyfaddef hyn, ond ar foreau prysur, rwyt ti'n anghofio rhoi sglein ar dy sgidiau cyn gadael y tŷ.

b. Wel, rwyt ti'n gallu bod yn eithaf 'gwyntog' weithiau, ond rwyt ti'n trio dy orau i gadw'r rhechfeydd mwyaf drewllyd i breifatrwydd dy stafell wely dy hun.

c. Mmmm, cwestiwn anodd – mae gennyt ti gymaint ohonyn nhw – pigo dy drwyn a bwyta beth dyrchaist ti ohono, torri gwynt yn uchel wrth y bwrdd bwyd, byth yn fflysio'r toiled ar ôl cael pw – dewis di!

Sut sgoriaist ti?

'A' gan mwyaf
Rwyt ti'n rêl Siwsi sgleiniog!
Mae pob dim amdanat ti'n hynod lân,
o dy ddannedd llachar i dy sanau gwyn.
Sut wyt ti'n llwyddo, y Person Perffaith
ag yr wyt ti?

'B' gan fwyaf
Dim ond ychydig bach yn fudr wyt ti, fel Eifion.
Dydi bod yn lân ddim yn dod yn naturiol i ti,
ond rwyt ti'n cofio ymolchi dy wyneb a
glanhau dy ddannedd bob hyn a hyn. Rwyt ti
hefyd yn mwynhau chwarae'n fudr mewn mwd
pan mae rhywun fel Tudur o gwmpas.

'C' gan mwyaf
Mae'n rhaid dy fod ti a Tudur Budr yn
efeilliaid – fel brodyr baw! Rwyt ti'n amlwg
yn llwyddo i ddenu llwch a llaid atat yn hawdd
ac mae gennyt ti ormod o arferion drwg
i'w cyfri. Ti, heb os nac oni bai, ydi
Meistr y Mwd a Brenin Budreddi!

Dyna ni am y tro!

Oni bai mai Dyfan-Gwybod-y-Cyfan yw dy enw di, a dy fod ti'n gwybod POPETH, efallai y byddi di'n gweld y tudalennau nesaf yma'n ddefnyddiol — mae'r atebion arnyn nhw!

Atebion!

Tud 7: Eifion wnaeth – pw!

Tud 8–9: C, A, B, A, C

Tud 10–11: 1. llygoden, 2. mwydyn, 3. malwen, 4. madfall, 5. corryn, 6. broga

Tud 12: Dylai dy groesair di edrych fel hyn:

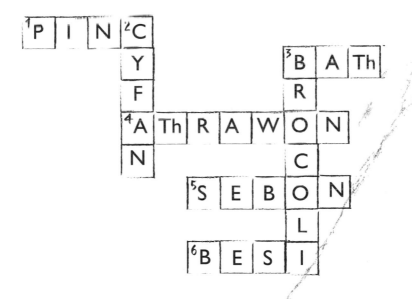

85

Tud 14: Asgwrn!
Tud 18–19: Mae'r cod cyfrinachol yn dweud:
Fi roddodd y corryn blewog yn dy fag!
Tud 21: Dylai edrych fel hyn:

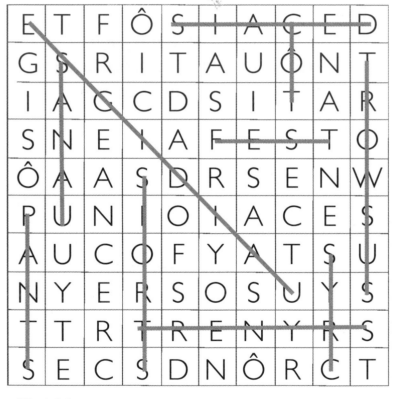

E	T	F	Ô	S	I	A	C	E	D
G	S	R	I	T	A	U	Ô	N	T
I	A	C	C	D	S	I	T	A	R
S	N	E	I	A	F	E	S	T	O
Ô	A	A	S	D	R	S	E	N	W
P	U	N	I	O	I	A	C	E	S
A	U	C	O	F	Y	A	T	S	U
N	Y	E	R	S	O	S	U	Y	S
T	T	R	T	R	E	N	Y	R	S
S	E	C	S	D	N	Ô	R	C	T

Tud 22: Wiwer, morgrug (16 ohonyn nhw!),
corryn, llygoden

Tud 23: Mae yna 13 bin yn y llun.
Am ddrewdod!

Tud 26–27: Dyma'r gwahaniaethau:

1. Barf Dad ar goll
2. Dad yn edrych i gyfeiriad gwahanol
3. Tudur ddim yn tynnu tafod
4. Smotyn wedi diflannu oddi ar foch Mam
5. Cynffon y gath ar goll
6. Blew barfog Chwiffiwr ar goll
7. Ffrog Siwsi'n wahanol
8. Mam yn edrych i gyfeiriad gwahanol
9. Trwyn Siwsi wedi diflannu!

Tud 28–29: Dyma restr o'r pethau sydd wedi'u cuddio:

1. Tudur
2. ysgol ddringo
3. broga
4. beic
5. pw
6. bag ysgol
7. cath

Tud 31: Chwiffiwr, siŵr iawn!

M	A	L	W	O
N	E	W	E	G
Ch	L	E	L	F
W	I	N	N	I
N	I	L	A	I
D	M	W	T	S
Y	S	Y	S	U
N	Y	D	C	L
C	R	Y	F	Y
O	R	N	P	R

Tud 34: Dyma beth ddylai fod ar fwydlen ffreutur yr ysgol:

Tatws newydd

Pwdin reis

Tarten afal

Bara brith

Cawl tomato

Sbageti bolognese

Hufen iâ

Salad ffrwythau

Tud 35: Dyma'r bwyd ddylai fod yn weddill:

banana, afocado, moron, afal, pupur, mefus a brocoli.

Tud 36: Dyma'r anifeiliaid:

1. Neidr, 2. Parot, 3. Bochdew, 4. Cath, 5. Ci

Tud 42–43:

1. Pump, 2. Chwech, 3. Dau, 4. Tri

Tud 44: Castell bownsio!

Tud 45: Bwgan!

Tud 46: Dylai dy ddrysfa edrych fel hyn:

90

Tud 48–49: Dylai dy groesair edrych fel hyn:

Tud 50: Y geiriau oedd:
gwynt, chwd, sbwriel,
snot, rhech, baw

Tud 51: Dylai dy ddrysfa
edrych fel hyn:

92

Tud 53: Dylai dy neidr eiriau edrych fel hyn:

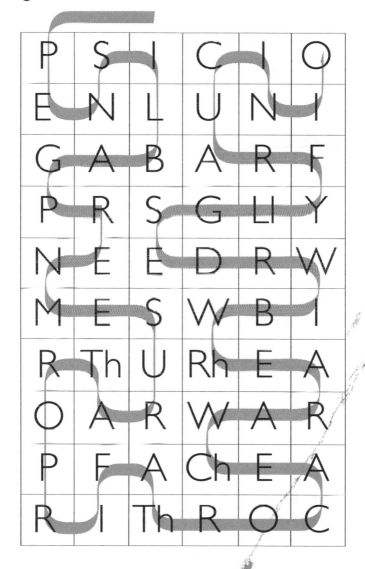

P	S	I	C	I	O
E	N	L	U	N	I
G	A	B	A	R	F
P	R	S	G	Ll	Y
N	E	E	D	R	W
M	E	S	W	B	I
R	Th	U	Rh	E	A
O	A	R	W	A	R
P	F	A	Ch	E	A
R	I	Th	R	O	C

Tud 54–55: 1. C, 2. Ch, 3. A, 4. B

Tud 57: BLIN ydi'r gair i ddisgrifio sut mae Mr Sarrug yn teimlo!

Tud 59: C ydi'r llwybr cywir.

Tud 60–61: Mae gan y Chwiffiwr cyntaf yn y chweched res het fôr-leidr wahanol i'r gweddill!

Tud 64–65: Penillion Pryfoclyd Tudur:

Edrycha ar hwn! Wel ar fy ngwir!
Mae'n snot i'n wyrdd ac o mor **hir**.
Bob nos wrth i'r cloc daro chwech
Mi fydda i'n gollwng diawl o **rech**.
Wrth lowcio pop yn gynt a chynt
Mi fedri wedyn dorri **gwynt**.
Mae Chwiffiwr weithiau, ar fy llw,
Yn hoff o arogleuo **pw**.
'O Tudur! Beth sydd ar dy law?'
Does dim byd arni, dim ond **baw**.
Mae Mam yn gweiddi 'Tudur! Paid!'
Pan fydda i'n neidio yn y **llaid**.

Tud 72: Y rhifau sydd ar goll yw: 16, 20, 28, 32, 40, 44 a 52.

Tud 74: 1. Mae gwallt Dad yn wahanol.

2. Mae daliwr y disg treth wedi diflannu oddi ar y ffenestr. 3. Tudur yn edrych i gyfeiriad gwahanol. 4. Mae'r drych ochr wedi symud i'r ochr arall. 5. Tudur yn gwenu. 6. Chwiffiwr yn eistedd yn hytrach na gorwedd! 7. Mae'r drych ôl wedi diflannu.

Tud 76–77: Dylai dy chwilair edrych fel hyn:

D	A	G	D	U	A	C	Ch	C
O	E	G	W	Y	R	Dd	D	A
O	B	N	O	P	F	I	C	W
G	R	S	W	O	L	O	E	Y
W	O	O	Ch	Dd	Ch	H	W	N
S	W	I	D	R	Ch	DD	T	C
A	N	Y	L	E	M	C	N	C
L	T	D	R	I	L	I	M	O
G	E	W	P	U	P	I	W	S

Tud. 78–79:

Siwsi sy'n dweud: 'Ti ydi'r brawd bach
mwyaf drewllyd yn y byd i gyd!'

Mam sy'n dweud: 'Dos i glirio dy ystafell
wely os gweli di'n dda, Tudur!'

Chwiffiwr sy'n dweud: 'Bow, wow!'

Nain sy'n dweud: 'Wyt ti wedi bod yn
chwarae gyda 'nannedd i, Tudur?'

Miss Jones sy'n dweud: 'Tudur! Dim
rhedeg ar hyd coridor yr ysgol!'